# ルイ・ブライユ

## 暗闇に光を灯した
## 十五歳の点字発明者

山本徳造／著

松浦麻衣／イラスト

広瀬浩二郎／監修

★小学館ジュニア文庫★

読書工房めじろーブックス

## Contents　もくじ　上

# Contents もくじ 下

## Characters　登場人物紹介

### ルイ・ブライユ
### Louis Braille

1809年、フランス・パリの東方にあるクーヴレ村に生まれる。3歳のときに負ったケガにより、5歳で全盲となる。パリの盲学校で目の見えない人のための文字・点字を発明する。

## シモン＝ルネ・ブライユ
## Simon-René Braille

ルイの父親（ちちおや）。
馬（うま）の鞍（くら）などを作（つく）る馬具（ばぐ）
職人（しょくにん）を営（いとな）んでいる。ルイのこと
をいつも気（き）にかけている。

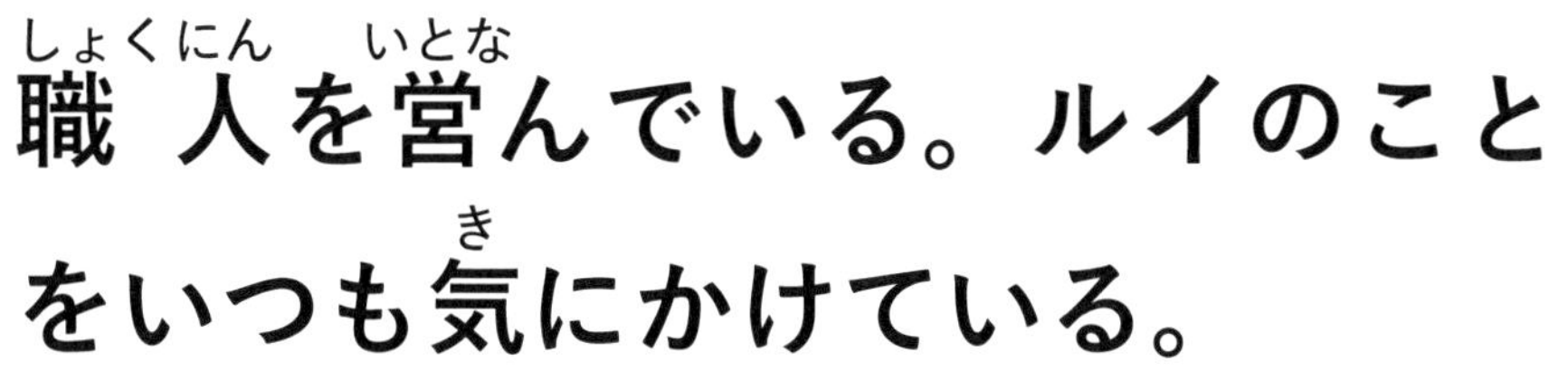

## モニク・ブライユ
## Monique Braille

ルイの母親（ははおや）。末（すえ）っ子（こ）ルイ
の将来（しょうらい）を案（あん）じ、パリの
盲学校（もうがっこう）へ行（い）かせることに。

# ジャック・パリュイ神父

Jacques Palluy

クーヴレ村の神父。
ルイの聡明さに
気付き、パリ盲学校へ
通うように進言する。

# ギリエ校長

Sébastien Guillié

パリ盲学校の校長。
礼儀を重視した。
音楽への理解が深い。

## イポリット

**Hippolyte Coltat**

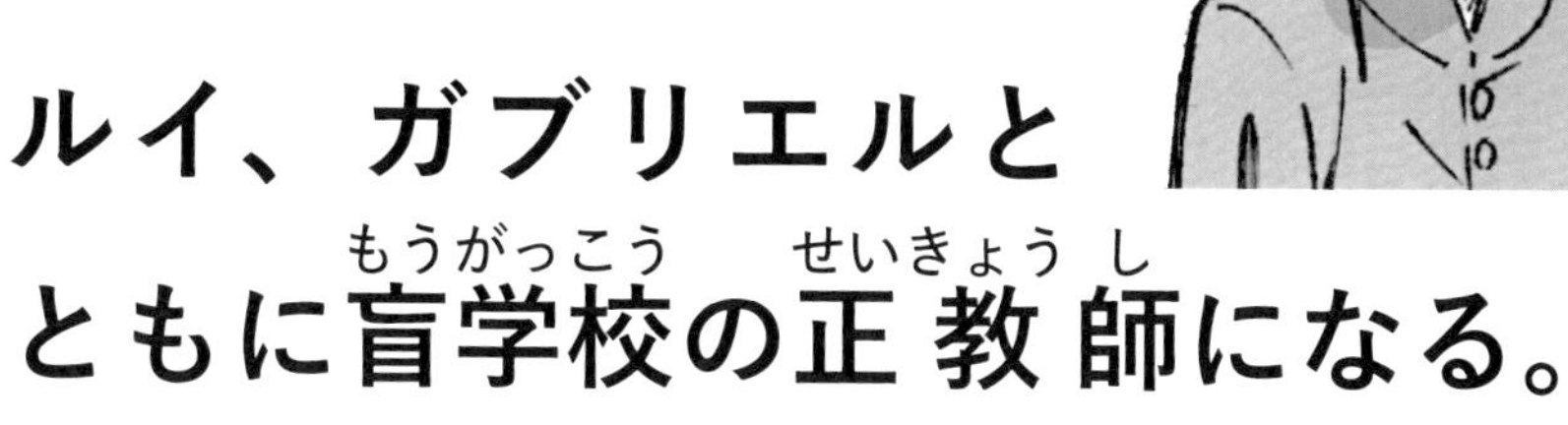

ルイの親友（しんゆう）。

ルイ、ガブリエルと

ともに盲学校（もうがっこう）の正教師（せいきょうし）になる。

## ガブリエル

**Gabriel Gauthier**

ルイの親友（しんゆう）。

優（すぐ）れた演奏家（えんそうか）で

作曲家（さっきょくか）。盲学校（もうがっこう）のオーケストラ

の指揮者（しきしゃ）になった。

## シャルル・バルビエ
## Charles Barbier

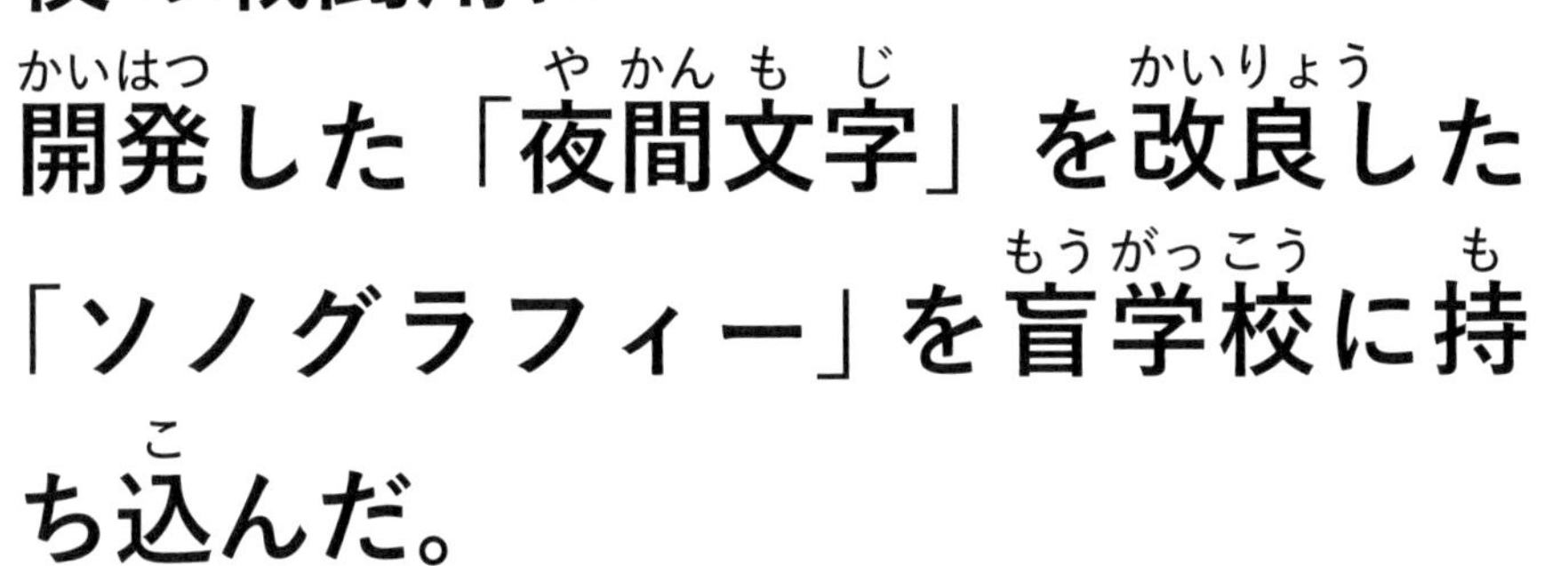

元砲兵隊長。
夜の戦闘用に
開発した「夜間文字」を改良した
「ソノグラフィー」を盲学校に持
ち込んだ。

## ピニエ校長

## Alexandre François-René Pignier

パリ盲学校の校長。
穏やかな性格で、ルイの点字のよき理解者でもあった。

# プロローグ

あなたは、「点字」を知っていますか？

文字通り、紙面に浮き出た点で、目の見えない人たちが、さわって読んだり書いたりするための文字のことです。

あなたも、ぽつぽつと規則的に並んだ点に、一度はふれたことがあるはずです。

目の見える人は、普段の生活で使っていないので、点字がどこにあるか聞かれても、あまりピンとこないかもしれません。

しかし、気をつけて探してみると、私たちの身近にはたくさんの点字があることがすぐにわかるでしょう。

では、みなさんが暮らしている家の中から探してみましょう。

家電製品には点字の表示が多く使われていま

す。洗濯機のスタートボタンをはじめ、掃除機、冷蔵庫、食洗器、電子レンジ、炊飯器、扇風機など、点字のまったくないもののほうが珍しいくらいです。

次に冷蔵庫をあけてみましょう。未成年のみなさんは飲んではいけませんが、冷蔵庫の中に入っている缶ビールの上ぶたを見てみると、そそぎ口のそばに点字で「おさけ」と表示されています。これで、他の飲みものと区別できます。それにケチャップやソース、ジャムの容器にも点字が。

また、点字ではありませんが、ユニバーサル・デザインといって、凸線でそのはたらきを示しているものもあります。電卓や電話の「5」のボタンには凸点が、パソコンの「F」「J」のキーに短い棒線が浮き出ているのがそれですが、あんがい知らない人が多いかもしれません。

そして、お風呂に行ってみると、シャンプーの容器の側面にも凸線があるのに気づくはずです。

目を閉じたままでもシャンプーとリンスやコンディショナーを区別できるように、シャンプーのボトルにだけギザギザがついています。

では、家から外に出てみましょう。デパートやショッピングモールの案内板、郵便ポスト、公衆トイレ、銀行のATMにも点字が使われています。もちろん、横断歩道手前には黄色い点字ブロック（視覚障害者用誘導ブロック）が。エレベーターの階数表示パネルや横断歩道のそばにある音響式信号機のボタンにも点字がついているのは、今や常識です。

次は駅に行ってみましょう。

券売機をじっくり見てみてください。コイン投入口のすぐ近くに点字があることに気づくでしょう。電卓のようなテンキーを使えば、目の見えない人も自分で切符を買うことができるというわけです。

さらに券売機のそばに掲げられている運賃表

にも点字があります。黒で書かれた数字は目の見える人用です。目を近づけてください。透明の点字が黒字に重なっているのがわかるでしょう。

駅にあるトイレの出入り口にも点字案内があります。また、ホームへの階段の手すりには番線の案内をする点字の金属板などが貼られているので、スムーズに目的のホームまでたどり着けるでしょう。

このように私たちの身の回りには、想像以上に、点字があふれています。

それなのに、点字を発明したルイ・ブライユの名はあまり知られていません。

ちなみに、英語で点字をあらわす単語は「braille」です。英語では「ブレイル」と発音しますが、フランス語では「ブライユ」と発音します。つまり、発明者の名前がそのまま点字を意味するようになったのです。

それほどルイ・ブライユの功績は大きいもので

した。ルイ・ブライユの開発した点字アルファベットは世界中に普及し、多くの視覚障害者に文字を読み書きする喜びや自由を与えました。彼らの将来にたくさんの希望をもたらしたのです。

では、この点字が世に出るまで、目の見えない人は文字を読むことができなかったのかというと、そうではありません。文字を木や紙に盛り上げた「浮き出し文字」で読むこともできましたし、また紐の結び目で文字をあらわす「結び文字」というものもありました。

しかし、問題は読み書きするスピードでした。指でさわって、それがどういう文字なのかを判断するのが簡単ではなかったのです。時間がかかりすぎましたし、その文字を書くのも大変で、あまり実用的ではありませんでした。

その点、ルイ・ブライユの発明した点字は画期的でした。

読むのも、そして書くのも、はるかに簡単になったのです。点字のおかげで、視覚障害者用の本もぐっと小さくなり、発行される部数も飛躍的に増えました。点字がより身近な存在になったのは言うまでもありません。

では、従来の浮き出し文字とルイ・ブライユの点字は、どこがちがったのでしょうか。また、ルイ・ブライユとは、どんな人物だったのか。まずはその生い立ちを追ってみましょう。

# パリ郊外のクーヴレ村

ときは1809年にさかのぼります。フランス王妃のマリー・アントワネットがギロチンで処刑されてから十六年が経っていました。パリ東方四十キロにあるクーヴレという村は、なだらかな草原の丘の斜面にあります。谷からは、マーヌ川が流れているのが見えます。村人たちの多くは、ブドウや穀物の畑で働く農民で、いかにもフランスらしいのどかな村でした。

年が明けたばかりの1月4日、この村で馬具屋を営むブライユ家に一人の男の子が生まれます。男の子はルイと名づけられました。

父親のシモン＝ルネは、馬の鞍や手綱などの馬具だけでなく、革製の靴などもつくる職人です。当時のフランスでは、他のヨーロッパの国々と同じように、父親の職業を息子が継ぐのは普通のこと。シモン＝ルネもその例外ではなく、父親の跡を継いだ二代目の馬具職人でした。当時の畑仕事に馬は欠かせません。もちろん、今のような車社会ではないので、畑を耕すのは、ガソリンで動くトラクターではなく、農耕馬でした。

収穫した農作物を市場に運ぶのも荷馬車です。村人にとって、馬は普段の生活の中で大切な財産でした。だから、馬具職人が大変重宝されていたのです。なかでも村人たちからもっとも頼りにされていたのは、シモン＝ルネの馬具屋でした。なぜなら、彼のつくる馬具は、革ひもや頭絡（馬の頭部に取りつける馬具）など、どれをとってみても、きれいな装飾がほどこされていたからです。しかも、つくりがとても丁寧なので、まるで美術品のようだったと伝えられています。

そんな完璧な馬具をつくるシモン＝ルネは、それこそ「職人中の職人」でした。

馬具づくりだけが、ブライユ家の収入だったのかというと、そうではありません。一家は三ヘクタール以上の畑も所有し、牛とニワトリも飼っていました。ただし畑と家畜からの収入はささやかなもので、けっして豊かな生活ではありませんでした。

それでも、一家には笑い声が絶えませんでした。ごくごくへいぼんな生活でしたが、家族全員が幸せを感じていたようです。

ルイが生まれたとき、シモン＝ルネと五歳年下の妻モニクとの間には、すでに三人の子どもがいました。長女のカトリーヌ、長男のルイ＝シモン、そして次女のセリーヌです。

長女は十五歳、長男は十三歳、次女は十一歳でした。三人の子どもたちは、ずいぶん年の離れた弟の誕生を素直に喜んだことでしょう。

しかし、生まれたばかりのルイは、元気な赤ちゃんというイメージからはほど遠い赤ん坊でした。

「オギャー、オギャー！」
と泣くこともあまりなかったようです。小さくて、見るからに弱々しく、母乳を吸うのもつらそうでした。家族の誰もが、いつ死んでもおかしくはないと思っていたようです。

（天国に行けますように）

と、両親はルイが生まれた三日後には洗礼を受けさせています。それも無理はありません。当時の赤ちゃんの生存率は、今では想像もできない

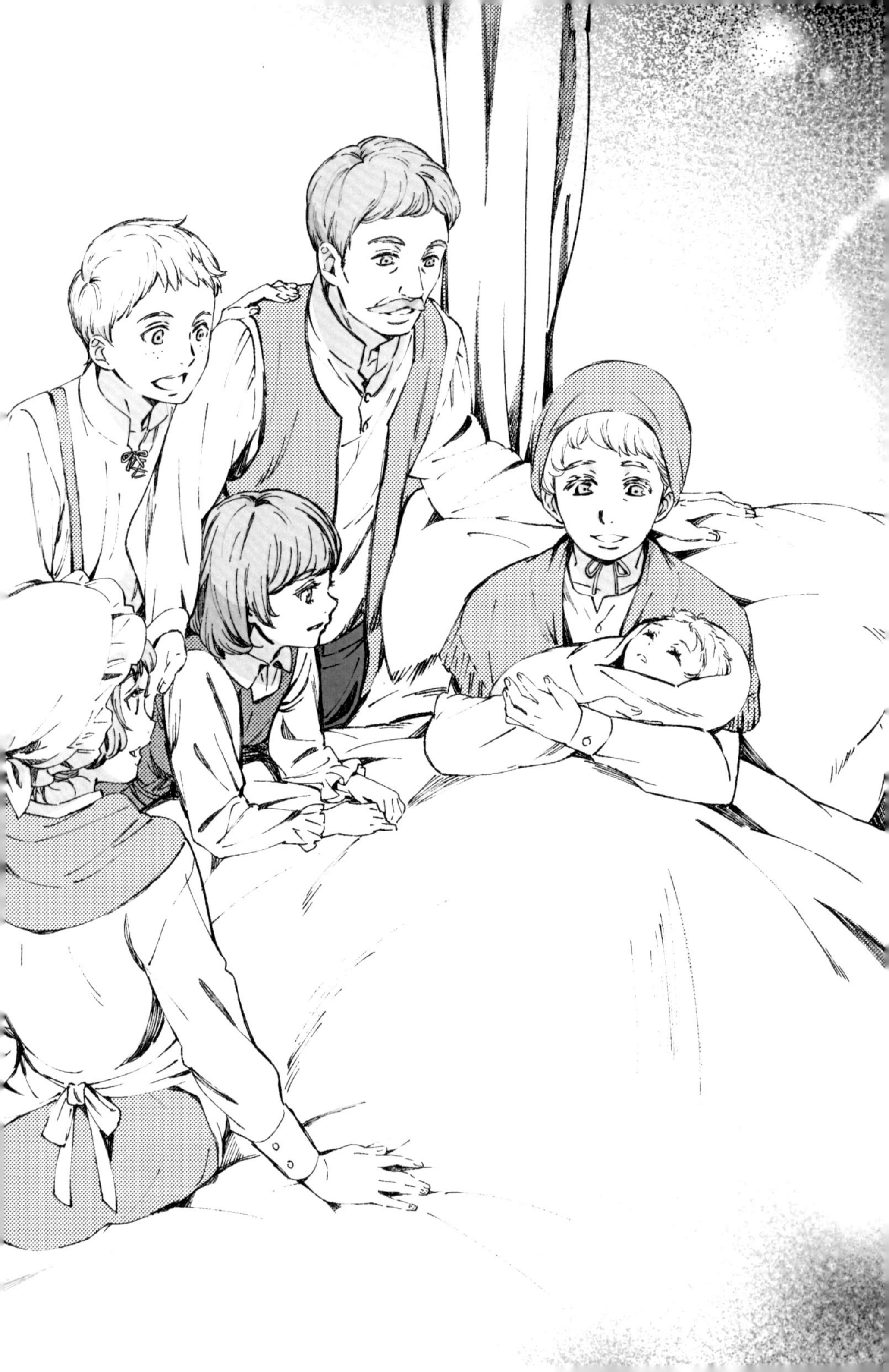

くらい低かったからです。

ルイが生まれたころのフランスでは、一歳未満の乳児の死亡率は約二十五パーセント、つまり四人に一人が最初の誕生日を迎える前に亡くなっていました。だから、生まれて間もないルイが数週間、いや数日も経たないうちに亡くなったとしても不思議ではなかったのです。

「この子、死んだりしないわよね」

赤ちゃんの顔をのぞきながら次女のセリーヌが

心配そうにつぶやきました。

「何を言っているの、セリーヌ。縁起でもないことを言うんじゃないの」

母親のモニクが口をとがらせます。

「だって……」

「心配ないさ」

父親のシモン＝ルネが明るい声でさえぎりました。

「おまえのお兄さんもカトリーヌも赤ちゃんの

ときはみんな同じだった。でも、今じゃ、みんなじょうぶに育っているじゃないか。そうだろ。だから、何も心配することはない」

　そう言いながらも、シモン＝ルネは末っ子のルイのことが心配で仕方がありませんでした。なにしろシモン＝ルネが四十四歳、妻が三十九歳のときに授かった子どもです。両親とも、それこそルイを目の中に入れても痛くはなかったことでしょう。

（ルイ、頼むからじょうぶに育ってくれよ。神様、どうか息子をお守りください）

シモン＝ルネは心の中で祈る日々でした。そんな周囲の心配を振り払うかのように、ルイはすくすくと育ちます。

好奇心が人一倍強く、なんにでも興味を持つ無邪気な末っ子は、家族からだけでなく、近所の人たちにもかわいがられました。まさにブライユ家のアイドルのような存在だったのです。

誰からもちやほやされ、どんなイタズラをしても大目に見られ、両親からも本気で叱られないルイにしてみれば、毎日が本当に楽しかったことでしょう。

（僕って、天使かもしれない）

幼いルイがそう思ったとしてもおかしくはありません。

ところが、そんなルイにある日突然、悲しい出来事が起こります。

## 好奇心旺盛なルイ

ルイが三歳のときでした。

いつものように、ルイは父親の仕事場にいました。それが末っ子のルイが自分で決めた日課だったのです。

シモン＝ルネが真剣な面持ちで器用にキリを動かし、革に穴を開けているのを、幼いルイはじっと見つめていました。しかし、好奇心が旺盛なルイのことです。見つめているだけでは満足できなかったのでしょう。

「パパ、僕も手伝いたいよォ」

と甘えた声で父親にせがみました。

「いいかい、ルイ」

シモン＝ルネは険しい表情で息子の目を見ました。

「なーに、パパ」

「おまえはまだ幼い。父さんのあつかっている刃物はすごく鋭いから、ちょっと油断すると大ケガをする。だから、もう少し大きくなってからパパを手伝ってくれ」

そうルイをさとすシモン＝ルネでしたが、心の中は嬉しさでいっぱいです。思わず笑顔になってしまいそうになるのを必死でこらえながら、シモン＝ルネは作業をつづけました。そして、しばらくしてから、シモン＝ルネが仕事場を離れなければならないことが起きたのです。仕事場の外にお客が訪ねてきたのか、あるいは重要な急用でもできたのでしょうか。それとも突然、外が騒がしくなったので、その様子を見るために仕事場をとび出したのでしょうか。

じつはこの年の6月、フランスの皇帝ナポレオン一世が六十四万の大軍を率いてロシアに攻め込みます。

いったいなぜ攻め込んだのでしょうか。

ロシアのアレクサンドル一世が、ナポレオンの出したイギリスとの交易を禁ずる「大陸封鎖令」を無視してイギリスへの穀物輸出をつづけていました。それにナポレオンが怒ったのです。そしてロシアに攻め込んだナポレオンは九月にロシアの都市、モスクワに入城しました。

ところが、退却するロシア軍がモスクワの街に火をつけ、ナポレオン軍の食糧を手に入れる道すじを断ってしまいます。そのためナポレオン軍は退却せざるをえませんでした。しかも「冬将軍」といわれるロシアの厳しい冬の寒気のせいで、大きな犠牲を出したのです。

こうしてナポレオン軍のロシア遠征は大失敗に終わりました。

ルイたちが住むクーヴレ村にも、ロシアから逃げ帰ったナポレオンの兵隊が通ったことでしょう。

（なんだろう？　いやに外が騒がしい。ちょっと外に出て様子を見てみよう）

そう思って外に出たのかもしれません。

いずれにしても、用心深くて慎重なシモン＝ルネが、好奇心旺盛な子どもを一人だけ残して仕事場を離れるには、よほどの理由があったにちがいありません。

こうして、ルイは仕事場にたった一人で残されました。

しかし、ルイにとって、父親と同じことをするには、またとないチャンスです。作業机に手を伸ばしたルイは、父親が穴を開けようとしていた革を手に取りました。そして、すぐそばに置かれていたキリをつかみ、

（パパ、僕だってできるんだ）

と意気込んで穴を開けようとしました。しかし、なんといってもまだ三歳の子どもです。思うように力が入りません。

（おかしいな。パパにはできるのに……）

同じことを何度もくり返すうちに手もふるえてきました。

しかし、そんなことでルイはあきらめませんでした。深呼吸をしてから、ルイはもう一度革をしっかりとつかみなおします。そして、もう片方の手でキリをつかみ、エイッとばかりに力を込めました。しかし、キリは革の上をすべり、ルイの顔に向かったのです。

# 失われた光

「ギャ〜！」

工房からルイの悲鳴が聞こえてきました。父親が仕事場に駆けつけると、ルイが泣きながら片手で右目を押さえていました。目のあたりを押さえたルイの指の間から真っ赤な血が噴き出るように流れているではないですか。

「大丈夫か！」

そう言ってシモン＝ルネはルイの手を顔から離しました。

ルイは目を閉じていましたが、右目からは絶え間なく血が湧き出ています。みると、床には血のついたキリが落ちていました。キリの鋭い刃先がルイの眼球を突き刺したことは確かでした。

「ルイ、どうしてキリをさわったんだ！」

と叱るシモン＝ルネに、

「うー、痛いよ、パパ。すごく痛いよ〜」

ルイは手足をバタバタさせながら泣き叫ぶしかありません。

しばらくして、騒ぎを聞きつけた母親のモニク、長男のルイ＝シモン、長女のカトリーヌ、そして次女のセリーヌも仕事場に駆けつけました。誰もが顔を真っ赤な血で染めたルイを見て、ちょっとしたケガだとは思わなかったことでしょう。

「あー、なんてことなの！　いったいこの子に何が起こったのよ！　ああ、マリア様！」

とモニクは大声で泣き叫びながら、かわいい末っ子を抱きかかえました。しかし、泣いて悲しむばかりではいられません。

「バケツに水を入れて、持ってくるんだ！　早く！」

シモン＝ルネが長男のルイ＝シモンに命じました。ルイ＝シモンが水の入ったバケツを持ってくると、モニクがきれいな布を水にひたし、傷口をゆっくりと洗い流しました。もう涙は見せていません。

さらにモニクは薬草をしぼった水で傷口を消毒し、ルイの目に包帯を巻きました。いつの間にかルイから泣き声が消えていました。泣きつかれたのか、気を失ったのか、眠ったようにぐったりとしています。

しばらくしてから、村のお医者さんも駆けつけました。しかし、アルコールで消毒する以外のことはしなかったのです。

「できることはやりました。数日は様子を見るしかないですな」

お医者さんにもどう処置をすればよいのか、わからなかったのでしょう。当時は細菌の存在も知られていませんでしたし、細菌を殺す抗生物質のペニシリンも発見されていませんでした。だから、ルイのケガがお医者さんから見放されたのも仕方がないことだったのです。

数日経っても、ルイの傷は良くなりません。回復するどころか、まぶたがふくれ上がり、ひっきりなしに黄緑色の膿がにじみ出てきました。傷口が化膿していたのです。おそらく血をぬぐった布か包帯についていた細菌が繁殖したのでしょう。

こうして、不幸にもルイは右目を失明してしまいました。

悲劇はまだつづきます。

ルイの不注意で起きた事故から二年後、ルイと姉のカトリーヌが一緒に家の外を歩いていたときのことです。

「ねえ、ねえ、家の周りに煙が見えるよ。火事じゃないの？」

ルイがカトリーヌに訴えました。

「煙？　そんなの見えないわ」

「うそ、はっきり煙が見えるじゃない」

「火事だったら煙のニオイがするでしょ。何も臭わないわ」

「ふーん、じゃあ霧かな？」

この数日後、ルイの身に明らかな異変が起きます。

ある晴れた日でした。ルイがなかなかベッドから起きてこないので、不思議に思った母親のモニクがルイの寝室に起こしにいきました。

「ルイ、いつまで寝ているのよ。さあ、起きて！起きるのよ！」

「どうしたの、母さん。まだ夜だよ」

両目を手でこすりながら、ルイは不思議そうに尋ねました。

「何を寝ぼけているの、まったく」

「だって、まだ夜だもん」

「え……ルイ、おまえ……」

心配していたことが現実になったのをモニクは理解しました。当時から、片方の目が傷つくと、もう一方の健康な目にも炎症が起こり、その視力もやがて失われてしまうことがわかっていました。ルイの場合も例外ではなく、左目の視力も失われてしまったのです。

こうしてルイは五歳にして両目が見えなくなりました。

それから二、三か月後のことです。

(どうしたのかしら……。ルイのかわいい笑顔が少なくなってきた気がするわ)

ルイの様子を見ていたモニクは、そう思いはじめました。

ふつう五、六歳までに失明した場合、慣れ親しんだ両親や兄弟姉妹の顔でさえ思い浮かべることが難しくなることがあります。

ルイの場合は、景色や家具、道具などのほか、母親や、父親、兄、そして姉たちの顔も覚えていたようです。

ところがそれとは逆に、ルイから笑い、怒り、戸惑い、そして子どもらしい無邪気さといった表情は徐々に失われていきました。

（あの子、いったい何を考えているのかしら？）

ルイの顔から感情を読み取れなくなったモニクは、自分の息子が遠い存在になっていくのを感じ、ひどく落ちこみました。夫のシモン＝ルネも同じ思いです。しかし、ルイが人一倍利口な子であることだけは、二人とも信じて疑いませんでした。

こんなことがありました。

この年、ナポレオンの軍隊がロシア軍に敗れ、クーヴレ村にもロシア兵がしばらく駐屯していました。そのとき、ルイの耳に聞き慣れない言葉が入ってきました。

最初のうちこそロシア兵を警戒していたルイでしたが、二週間も経たないうちにロシア兵と仲良くロシア語で簡単な会話を交わしているのを、村人たちが目撃しています。

# ルイの才能

両目から光が失われてから一年が経ちました。ルイは六歳。本来なら学校に通う年ですが、同じ年齢の子どもたちの多くは家の手伝いをしており、学校に通う子どもは珍しかったのです。

朝食が終わった後、台所の椅子にひとりでポツンと座るルイを見て、モニクは独り言のようにつぶやきました。

「あの子も学校に行けたらいいのにね」

「ああ、そうできればいいな。ルイは賢い子だから、勉強したいだろうに……」

シモン＝ルネも妻と同じ意見です。

ルイの両親は当時としては珍しく、夫婦とも読み書きができました。

フランスでは1881年に初等教育の授業料が無料となりましたが、それ以前の十歳から十六歳までの就学率、つまり学校に通う比率はごくごくわずかだったのです。当然、読み書きのできる成人は少数派でした。だからでしょうか、たとえルイの目が見えなくても、学校に通わせたいと思ったのです。

しかし、そう望んでいても、実際はかなりきびしいものがありました。目が見えないということは、教科書を読むことができないということです。それに授業が終わってから、クラスメイトたちと外で思いっきり遊ぶこともできません。仲のいい友だちをつくることは簡単ではありませんでした。

（目の見えない子が学校で勉強するなんて、どだい無理な話なのかも）

そうあきらめかけていたルイの両親です。

そんなとき、クーヴレ村の聖ピエール教会にジャック・パリュイという名の新しい神父がやってきました。パリュイ神父が最初に行ったのは、担当する地域の家々を訪ね歩くことでした。村の人々がいったいどんな生活をし、どんな家族構成なのかを自分の目でしっかりと確かめたかったのです。

パリュイ神父がブライユ家を訪れたとき、庭先にルイが立っていました。目の前にいる少年の目が見えないことを、神父はひとめでわかったようです。

「お父さんはいらっしゃるかな?」

「はい、父は仕事場にいます、神父さん」

ルイが答えました。

「キ、キミ、どうして私が神父だとわかったんだい？」

パリュイ神父は驚きのあまり、うろたえました。

「だって、神父さんのニオイがしたからです。新しい神父さんがこの村に来られたことは両親から聞いていましたから」

ルイは目が見えなくても、ニオイや物音でそれがなんであるのか、あるいは誰の物であるのかをすぐに理解することができたのです。もちろん、話し声で相手が誰であるのかもわかりました。パリュイ神父がルイに驚かされ、興味を抱いたのも不思議ではありません。

それから何週間もしないうちに、パリュイ神父はルイと親しくなりました。もちろん、親しくなっただけではなく、ルイにいろいろなことを教えはじめたのです。パリュイ神父が思っていたとおり、ルイは驚くほど覚えが早く、聖書の一節もすぐに暗記しました。

パリュイ神父による一対一の「個人授業」は、主に教会の庭や神父の自宅で行われました。天気のいい日だと、村を囲む野山に出かけることもよくありました。

「わーい、楽しいな。僕、ピクニックが大好きなんだ」

大喜びのルイです。パリュイ神父は野山では必(かなら)ずルイに草花(くさばな)や果実(かじつ)を手(て)に取(と)らせ、ニオイをかがせました。

「ルイ、これは何(なに)かな？」

「ケシの花(はな)」

「じゃあ、これは？」

「リラの花(はな)」

「次(つぎ)は果物(くだもの)だ。これはなんだい？」

「ブルーベリー」

草花(くさばな)や果実(かじつ)の手(て)ざわりやニオイから、その名(な)を

当てさせたのです。ルイの記憶力は抜群でした。このようにして、ルイは自分の周囲にある動植物の名を覚えていったのです。

もちろん、ルイが覚えていったのは、動植物だけではありません。さまざまな道具や機械、そして家具なども、さわって覚えました。こうしてルイは実際に見ることがなくても、手でさわることで形を知り、どんな働きをするのかを知ることができたのです。

最初のうちはルイに「信仰心のあついキリスト教徒になってもらいたい」とだけ思っていたパリュイ神父でした。しかし、ルイと毎日のように接しているうちに徐々にその考えが変わっていきます。

（この子はなんて賢いのだ。目が見えたら、きっと偉い政治家や将軍にでもなっていたにちがいない。でも、残念なことに、ルイは目が見えない。それでも、この子が大きくなれば、クーヴレ村の

子どもたちに何か教えたりして、村に少しは貢献するだろう）

その後のルイ少年がクーヴレ村に貢献するどころか、世界の歴史に名を残すことになるとは、さすがのパリュイ神父もこのときは想像しなかったことでしょう。

ルイの両親とも親密な関係を築いていたパリュイ神父はある日、シモン＝ルネにこう切り出します。

「どうしてルイを学校に行かせないのですか」

「神父さん、あの子は目が見えないから、学校に行っても何もできないでしょう」

シモン＝ルネは伏し目がちに答えました。

「そんなことはないと思いますよ」

パリュイ神父はやさしい笑みを浮かべて断言しました。

「ルイは利口だから、きっと授業についていけるでしょう。それどころか、他の生徒よりもいい成績を残しますよ」

それからのパリュイ神父の行動は素早いものでした。さっそく村の学校に出向き、アントワーヌ・ベシュレ校長と面談したのです。このベシュレ校長もパリュイ神父と同じころに村にやってきていました。そして年が若かったこともあって、すぐに神父と打ちとけました。

「いいですよ。神父さんの推薦する子どもなら、きっと優秀でしょう」

こうして目の見えないルイは、目の見える子どもたちと一緒に村の公立学校で学ぶことになったのです。

## 楽しい学校生活

ルイが生まれ育った時代の障害者は、社会から閉ざされていました。
ほとんどの視覚障害者は貧しい生活を送って

いました。それでも、働かなくては満足に食事もできません。ルイが暮らしていたような村では、果物の摘み取りを手伝ったりしていました。歩き方がぎこちないことから、好奇の目で見られることが多かったので、本人もあまり外出したがりません。そして、家族も障害者が身内にいることを恥ずかしく思っていました。

そんな時代だったので、目の不自由な子どもが一般の公立学校に通うことは、よほどのことがないかぎり、ありえなかったのです。とくにルイのように全盲の子どもが、目の見える子どもたちと机を並べることは、ほぼ不可能でした。

だから、村の公立学校に入学したルイは、例外中の例外だったのです。もちろん、学校で目が見えない児童はルイ一人だけでした。息子を学校に通わせた両親も、よほど覚悟したにちがいありません。

パリュイ神父の働きかけ、そしてその願いを聞き入れたベシュレ校長も、当時としてはかなり「進んだ人」でした。ルイにとって、この二人との出会いは、まさに天からの恵みといえます。ルイは家から学校まで歩いて通いました。今のように、目の見えない人でも歩けるような環境が整っていませんし、盲導犬もいない時代です。しかも、自宅から学校へは急な坂道があったので、目の見えないルイひとりでは少し心配でした。そこで、近所の子どもがルイにつきそってくれていました。

学校に着いて教室に入ると、ルイは必ず一番前の席に座りました。

先生が黒板に書いた文字も教科書もルイにはまったく読めません。すべて耳から吸収するしかないので、先生の話がよく聞こえる一番前の席に座り、一言も聞き漏らすまいと一生懸命耳を傾けました。

初めての学校だったので、どの授業もルイにはとても新鮮でした。先生の話を誰よりも熱心に聞き、誰よりもしっかりと頭に叩き込んでいました。

ですから、先生から質問されても、ルイはすべて答えることができたのです。とくにルイが興味を持ったのが「歴史」と「地理」の授業です。

教室、いや学校で一番の物知りは、ルイでした。これには、ベシュレ校長も驚くしかありませんでした。学校の授業を終えて家に帰っても、歴史上のいろいろな人物がルイの脳裏に浮かんできます。

（ナポレオンとローマ法王は、どちらが偉いのかな？）

フランス以外の国々の話もルイの想像力を大いに刺激したようです。

（中国人は何を食べて、どんな家に住んでいるの？）

（アジアの人って、フランス語がわかるの？）

そんな楽しい疑問が、次から次へと浮かんできました。当然、もっと勉強したいというルイの学習意欲は日に日にふくらんでいきます。

しかし、ルイにとっての問題は、本が読めないということでした。いくら学習意欲があっても、「好きなときに好きな本が読めない」ということほどつらいことはありません。村の学校に通いはじめて半年もしないうちに、ルイの心の中に不満がつのっていきます。

## ルイの不満

そんな息子の不満を父親のシモン＝ルネは薄々感じていました。

ある日、授業が終わって、いつものように仕事場にやってきたルイに、シモン＝ルネが尋ねました。

「最近、学校のほうはどうだ？　みんなと楽しくやっているかい？」

「うん、楽しいよ。でも……」

「でも、何だい？」

ルイは少しばかり考えて、こう答えました。

「父さん、ほんとのことを言うと、僕、授業が
つまらなくて仕方がないんだ」

「つまらない？　また、どうして？」

「地理でも歴史でも、学校の先生に教えてもらっ
たことは、僕、なんでもすぐに覚えるでしょ。そ

れに一度覚えたら、絶対に忘れないしね」

「そうだな、さすが父さんの子どもだ」

「算数も、みんなよりも僕のほうが早く計算できるしね。みんなは紙に書いてから計算するけど、僕は頭の中ですぐに答えが出てしまう」

「おまえは父さんに似て天才だからな」

シモン＝ルネは微笑み、ルイの頭をなでます。

しかし、ルイは笑いもせずに話をつづけます。

「だから、他のみんなと一緒に勉強していても、時間が余っちゃうんだ。何か時間がもったいないような気がして……」

「まあ、そのうち慣れるさ」

「……父さん、こんなの慣れないよ。僕、もう学校に行きたくない！」

ルイはいつになく真剣な様子で父親に訴えました。

「何を言うんだ、ルイ！」

「だって、父さん。みんなが読み書きを教わって

いるとき、僕は何をすればいいの？　ただ座って
ボーっとしているだけ。こんなの、僕には耐えら
れない。もういやなんだ！」

ルイはもう涙声です。

「ルイ……」

シモン＝ルネは息子を抱き寄せるしかありませ
ん。そのとき、彼に一つのアイデアが浮かびます。

シモン＝ルネは作業場にあった二十センチ四
方ほどの木の板を見つけ、作業机に置きました。

次に釘を持ち、板の片隅からハンマーでトントントンと打ちはじめたのです。次から次へと、驚くほどの速さでした。そして一分も経たないうちに、アルファベットの一文字が完成しました。

「いいか、ルイ。さわってごらん」

シモン＝ルネはルイの手を取って、やさしく板に押しつけました。するとルイの手にある形が伝わってきました。

「これがアルファベットのAだ」

声に力を込める父親に、ルイの声も弾みます。

「これがAなの！　父さん、僕、文字の形がわかるよ」

そう、父親は釘でアルファベットを打つことを思いついたのです。

「次はBを打つよ」

シモン＝ルネはAの隣にBをトントントンと打ちはじめました。

「へー、これがBなの。父さん、もっと打ってよ」

いつの間にかルイに笑顔が戻っていました。

「よし、次はCだ！」

シモン＝ルネも満面の笑みを浮かべ、ハンマーで釘を打ちつづけました。こうしてルイはアルファベットの形をすべてイメージすることができたのです。それも数時間のうちに……。

父親が考案した釘の文字板のおかげで、ルイは文字をしっかりと覚えました。しかも、自分で何とか文字を書くこともできるようになりました。

ただ、目が見えないので、ルイはせっかく自分で書いた文字を読むことだけはできません。悲しいことですが、それがルイの限界でした。

（僕には自分で書いた文字すら読むことができない。神様、僕はこれからずっと友達からもらった手紙も、いろんな世界のことを教えてくれる本も読むことができないのですか？）

そんなルイに追い打ちをかけるようなことが起こります。

# ある出会い

入学して二年目のことでした。ルイの通う公立学校が「相互教授」という新しい教育システムを採用するよう村から命令されたのです。

いったいどんな教育システムだったのでしょうか。

年長の優秀な生徒が教師の「助手役」をつとめ、年少の生徒を教えるのです。イギリスから伝わったシステムで、教員不足の解消になると期待されていました。しかし、これでは先生が責任をもって生徒を教えられません。

それに、この教育システムには、もう一つの問題がありました。

夏になると、村のほとんどの子どもが自宅の畑で収穫を手伝うことになっていました。数か月の間、学校に来られないのです。ということは、生徒数が激減する夏には生徒がお互いを教え合うことができなくなるのです。教育のレベルが低下するのは目に見えていましたので、ベシュレ校長も新システムの採用には大反対でした。

しかし、村長から、

「いやなら、キミに校長を辞めてもらうしかない」

と脅され、しぶしぶ引き下がるしかなかったのです。

ベシュレ校長と同じく、パリュイ神父も新しい教育システムには反対の立場でした。「生徒同士が教え合う」のは、キリスト教の教えにも合わないと考えていたからです。

（読んだり書いたりできないルイには一番合わないシステムだ。ルイをこの学校に残したら、ダメになってしまう。こうなったら、他の学校に転校させるしかない）

そう考えたパリュイ神父の耳に興味深い情

報が入りました。パリに全寮制の盲学校があるというのです。しかも、嬉しいことに、その盲学校では生徒たちが独り立ちするための職業訓練も行っているというではないですか。

ただ、誰もが入学できるというわけではありません。フランスの各地方から一人ずつしか生徒を募集していないので、有力者の特別なコネが絶対に必要でした。

（さて、どうしたものか）

思い悩んだパリュイ神父に一人の人物が思い浮かびました。クーヴレ村で広大な荘園を持つドルヴィリエ侯爵です。村一番のお金持ちでもある侯爵は、慈善運動家としても知られていました。

さっそく神父はルイと父親のシモン＝ルネを連れて、ドルヴィリエ侯爵のお屋敷に出向きました。

パリュイ神父から説明を受けたドルヴィリエ侯爵の顔に、なぜか驚きの表情が浮かびます。

「こりゃ偶然ですな、神父」

ドルヴィリエ侯爵がパリュイ神父を見つめました。

「と、言いますと？」

「その盲学校の創設者には二十年以上前に私も会ったことがある。それもヴェルサイユ宮殿で。その人物は確かアユイ、そうだヴァランタン・アユイという名前だった」

「えっ、侯爵もご存じだったのですか？」

ドルヴィリエ侯爵は、そのときの出来事を覚えていました。

1786年12月、盲人教育の第一人者であるヴァランタン・アユイが盲学校の生徒たちを引き連れ、ヴェルサイユ宮殿を訪れています。その目的は、盲人教育の成果をときのフランス国王ルイ十六世に知ってもらうためでした。アユイは生徒たちに文字をさわって読む方法を国王らの目の前で実演させました。なんとドルヴィリエ侯爵もその場に居合わせていたのです。

このデモンストレーションを見たルイ十六世は感激しました。さっそく国王は盲学校に補助金を与えるなど、アユイの盲人教育事業に多額の寄付をしたのです。

「神父、これも何かの縁というものですな。世の中は不思議なものだ。これだから人生は面白い。そうは思いませんか？」

「なんとか侯爵のお力添えを願いたいものです」

とパリュイ神父が軽く頭を下げました。

「ま、私の推薦があれば大丈夫でしょう」

ドルヴィリエ侯爵は自信たっぷりにパリュイ神父に約束しました。

「ありがとうございます」

シモン＝ルネが深々と頭を下げました。しかし、どこか浮かない表情です。

「ブライユさん、何か気にかかることでも？」

ドルヴィリエ侯爵が遠慮なく尋ねました。

「いえ、その……」

口ごもるシモン＝ルネです。

「ああ、学費のことが心配なのですな。大丈夫ですぞ。ご子息には政府から奨学金が出るはずだ。だから、お金のことは心配無用です」

しばらくして、ドルヴィリエ侯爵が本当の実力者であることがわかりました。なんとルイの盲学校への入学が決まったのです。そして、奨学金が出ることも。

# いざ、入学

その日の早朝、ルイは父親と一緒に駅馬車に乗りこみました。生まれて初めてパリに向かうことになったのです。１８１９年2月15日、ルイが十歳になったばかりのことでした。

四時間ほど揺られて、二人を乗せた馬車がパリの町はずれに着きました。

「着いたよ、お客さん」

馬車の御者、つまり運転手がシモン＝ルネに伝えました。

「父さん、着いたの？」

ルイが明るい声を出します。

「あ……ああ」

シモン＝ルネはとまどったような声で答えるしかありません。それも無理はないでしょう。ここからはルイの着替えや日常の生活必需品などを詰めた重いバッグをかついで盲学校まで歩いていくしかなかったからです。

二人は学生街のカルチェ・ラタンを目指して歩きはじめました。盲学校があるのは、その近くのサン・ヴィクトール通り六十八番地です。そして、ようやく目的地にたどり着きました。

(なんという建物だ。これが本当に盲学校なのか。あんまりきれいじゃないな……)

シモン＝ルネが想像していたのは、威風堂々とした立派な校舎でした。しかし、目の前にあるのは、まるで廃墟のような古びた建物です。ジメジメした空気がそこら中に漂っていました。

当時は盲学校として使われていましたが、ここはもともと神学校でした。二百年ほど前にサン・ヴィクトール門があったところに建てられ、フランス革命中には牢獄として使われたこともあります。

盲学校の周りの建物も似たようなものだったの

で、どことなく暗い感じがする一角です。素朴で自然豊かなクーヴレ村とは、あまりにも対照的でした。

想像とはかけ離れていた現実に、シモン＝ルネは、言葉を失うほど落ち込みました。黙り込む父親に、ルイもおかしな空気を感じ取ったようです。

「父さん、どうしたの？」

「いや、なんでもないよ」

気を取り直したシモン＝ルネが玄関の重そうな

扉(とびら)をノックしました。

「ようこそ、ブライユさん。お待(ま)ちしていましたよ」

二人(ふたり)を出迎(でむか)えたのは、校長(こうちょう)のセバスティアン・ギリエ博士(はかせ)でした。三十八歳(さんじゅうはっさい)で、元軍医(もとぐんい)です。

「息子(むすこ)のルイです」

シモン＝ルネが自己紹介(じこしょうかい)を終(お)えてからルイを紹介(しょうかい)すると、ギリエ校長(こうちょう)はルイをまるで値踏(ねぶ)みするかのようにじろじろと見(み)ました。

「ルイ君(くん)か。うん、なかなか利口(りこう)そうな顔(かお)をしているね」

「ありがとうございます」

しきりに恐縮するシモン＝ルネにギリエ校長は向き直りました。

「ブライユさん、どうか安心してください。ルイ君は幸運ですよ。ここは最高の設備と優秀な教師を誇る世界一の盲学校ですから、息子さんはいろいろなことを学ぶでしょう」

ギリエ校長から「安心してください」と言わ

れたものの、シモン＝ルネは心配でなりません。職人特有のクセなのでしょうか、シモン＝ルネは校舎の内部を素早く、そしてくまなく観察しました。するとすぐにらせん状の狭い階段が二つもあることに気づきました。

この不自然な構造を見て不思議そうな表情を浮かべるシモン＝ルネに気づいたギリエ校長は、「ああ、階段ですか。男子用と女子用に分けられているのですよ。手紙でもお知らせしたように、現在は男子六十人、女子三十人の合計九十人の生徒が在籍しています」

と説明しました。さらに校長が話をつづけます。

「一日のうち自由時間は九時間です。あとの十五時間ですが、普通の授業だけではありません。盲学校では生徒全員に一般教養として音楽にも親しんでもらっています。ピアノ、オルガン、バイオリン、チェロ、クラリネット、フルートなどの楽器を演奏しているんですよ。それに一番大事なことですが、子どもたちの将来のために、カゴやスリッパなどを製作する手作業の時間もあります。ルイ君は本当に幸運ですよ。ここは世界一の盲学校ですから」

そんな校長の説明を聞きながら、シモン＝ルネは校舎全体が湿っぽいことに気づきました。それだけではありません。校内の空気も汚れているようで、普通に息をするだけでも、得体のしれない病気に感染しそうなほどです。

校舎は敷地が２４００平方メートルほどで、建坪７７６平方メートルの五階建ての建物でした。薄暗く、不潔なだけでなく、それぞれの教室や作業場も廊下を薄い板で仕切っただけの粗末なつくりでした。愛する息子がこんなひどい環境で生活するのかと思うと、シモン＝ルネは気が気でなりません。村に帰る時間になると、ルイをギュッと抱きしめました。

「ルイ、父さんは村に戻る。夏休みには必ず帰ってきなさい」

「わかったよ、父さん。僕なら大丈夫。みんなと仲良くやっていけるから。読み書きもすぐに覚えるからね」

そう強がっていても、ルイが家族と離れて暮らすのは、生まれて初めてのことです。父親が盲学校の外に出たとき、

（僕は一人になってしまったんだ）

急にさみしさがこみ上げ、心細さがじんわり

と押し寄せてきました。

しかし、ルイには感傷にふける暇はありません。ギリエ校長はさっそく、授業中の教室にルイを連れていきました。

## 初めての孤独、初めての友だち

教室では副校長のピエール＝アルマン・デュフォーが「地理」を教えていました。

盲学校で生徒たちを教えている正教師は、このデュフォー副校長、ギリエ校長、そして音楽を担当している女性教師のゼリー・カルデヤックのたった三人です。デュフォー副校長はルイたちの姿を見て、授業を中断しました。

「キミはここに座りなさい」

ギリエ校長はルイを空いている席に案内します。

「デュフォー先生、あとは頼みますよ」

ギリエ校長が教室から出ると、授業が再開

されました。

地理の授業では、フランス国内を流れる主な川について教えていたようです。途中からでしたが、ルイの頭の中にはセーヌ川やローヌ川などの情報が面白いようにたたき込まれていきました。

ところで、目の見えない子どもたちを教えるには、ギリエ校長ら三人の正教師だけでは対応できません。そこで「復習教師」という制度が設けられました。正規の教師が生徒に教えたことを、くり返し生徒に聞かせて教える役です。この復習教師には優秀な生徒が選ばれていました。教師の「助手」か「見習い」と思ってください。もちろん、彼らも目が見えません。

ルイが最初に受けた地理の授業は、あっという間に終わりました。デュフォー先生がルイを他の生徒たちに紹介しましたが、全員の名前を覚えるのは、いくら記憶力がいいルイでも大変です。

「不安かい？　でも、大丈夫。そのうち全員の名前を覚えるさ」

デュフォー先生がルイの肩に手をやります。紹介が終わると、みんなはドタドタとけたたましい音を立てて、どこかに立ち去りました。ルイは一人取り残されたようで、言いようのない孤独感を味わいました。

「デュフォー先生、あとは私がこの子に説明します」

中年の太った女性が、いつの間にかデュフォー先生の隣に立っていました。寄宿舎を取り仕切る寮母さん（寮生の世話をする人）です。彼女はデュフォー副校長から引きつぎ、ルイを寄宿舎に連れていきました。

寄宿舎の部屋にはベッドがいくつも並べられていますが、目の見えないルイには部屋のつくりがわかりません。室内には何かが腐ったような臭いが漂っています。何歩か歩いてから、寮母さんがルイの手をつかみ、ベッドの一つにその手を荒々しく乗せました。

「ここがあなたのベッドよ」

寮母さんの顔つきはわかりませんが、冷たい口調だったので、ルイにはだいたいの想像がつきました。

「あのぉ、僕の荷物はどこに置けばいいのですか?」

「あー、その汚いバッグね」

寮母さんはルイが持つバッグを見て興味なさ

そうに言(い)い放(はな)ちました。

「……」

「ベッドの横(よこ)にサイドテーブルがあるわ。その中(なか)に入(い)れるのよ。入(はい)りきらなかったら、ベッドの下(した)にでも置(お)いておくことね」

面倒(めんどう)くさそうに吐(は)き捨(す)てると、寮母(りょうぼ)さんは深(ふか)いため息(いき)をついて部屋(へや)を出(で)ていきました。

夕食(ゆうしょく)の時間(じかん)になりました。

食堂での食事です。しかし、クーヴレ村での家族そろっての夕食とは大ちがいでした。豆の入ったスープとまるで石のように硬いパン。あまりにも質素すぎる夕食でした。会話を交わす生徒は、ほとんどいません。もちろん、ルイに話しかける生徒も一人もいませんでした。ただ、スプーンが食器にふれるカチャカチャという音だけが、無機質に聞こえてきます。

宿舎に戻るとき、誰かがルイの腕を支えました。

「キミ、手すりにつかまって。急な階段だから
気をつけないと」

「……あ、ありがとう」

「オレはガブリエル・ゴーティエ。ベッドはキミ
の隣だよ」

「僕はルイ。ルイ・ブライユ。よろしく」

ルイの顔に笑みのような表情が浮かびました。

二人は固く握手します。

こうしてルイとガブリエルは仲のいい友だちに

なりました。もうルイは孤独ではなくなったのです。
（父さん、僕にも友だちができたよ。だから心配しなくていいからね）

## 盲学校での教育

ガブリエルはルイより一つ年上で、盲学校には数年前に入学していました。
ルイにとって幸運だったのは、ガブリエルが盲学校の「生き字引」のような存在だったことです。盲学校には、前庭、運動用の歩道、リネン室、浴室、職員用食堂、生徒用食堂、チャペルなどがありました。まるで迷路のような盲学校ですが、ガブリエルはどこにどんな部屋があるのか、だいたいわかっていました。ルイも最初のころは、ガブリエルと一緒に行動していたので、少しずつその位置がわかっていきます。数週間も経つと、ルイの頭の中にはしっかりと校内地図が描かれていました。

「ルイ、もう学校に慣れたかい？」

ガブリエルにそう尋ねられ、

「ああ、キミのおかげだよ」

素直に感謝しました。

「でも、授業はつまらないだろ？」

「いいや、面白いよ」

冗談ではなく、ルイは授業に出るのがすごく
楽しみでした。

「へー、変わってるね」

「だって、地理も歴史も知らないことが多かったんだもの。僕の知らなかったことが、どんどんわかって、すごく勉強になるよ。それに算数も面白いし」

「ほんと、キミは変わってるね」

「僕、変わってなんかいないよ」

口をとがらせるルイです。ガブリエルは首をすくめて言いました。

「オレなんか、勉強が大嫌い。まだ、カゴやスリッパをつくっているほうがいいね。だって、そのほうが将来の役に立つだろ。そう思わないかい？」

「僕は勉強が好きだけど、カゴやスリッパをつくるのも好きだよ」

「やっぱりキミはすごく変わっているよ」

そう言いながらも、ガブリエルは嬉しそうでした。あとですぐにわかることですが、「勉強が大嫌い」と言っていたはずのガブリエルは、実は勉強家で、成績もトップクラスの優秀な生徒だったのです。このガブリエルの紹介で、ルイはもう一人の生徒とも仲良しになりました。イポリット・コルタです。

ルイ、ガブリエル、そしてイポリットの「仲良し三人組」は、いつもたいてい一緒でした。勉強するときも、遊ぶときも。彼らの友情は、それからもずっとつづくことになります。

ところで、生徒たちは盲学校で八年間学ぶことになっていました。

普通の授業の他にも、卒業後に自立するため、カゴ、スリッパ、籐椅子、わらやイグサの敷物などをつくる実習がありました。現実的でもあったギリエ校長は、それらの製品を売ったお金を学校運営に回したのです。

女子生徒には編み物や裁縫を教えました。その完成度の高さから、実際、パリの下着メーカーから注文がきたほどです。卒業後、彼女たちの中には、目の見えない子どもに編み方を教える仕事に就く者もいました。なぜかというと、目の見える人よりも、かえって目の見えない人のほうが教え方が上手だったからです。

盲学校の生徒がつくった製品、とくにわらとイグサの敷物もよく売れました。販売価格がどこよりも安く、品質も良かったことが人気の理由でした。ルイが一番得意だったのは、室内履き、つまりスリッパづくりです。父親が馬具職人だったせいか、ルイは勉強だけでなく、実習にも興味津々でした。手を器用に動かし、誰よりも早く完成させました。最初の学年の終わりに、ルイはスリッパづくりと編み物の両方で、なんと優秀賞をもらいました。

ちなみに、盲学校でつくられるスリッパには、足をより暖かくするように内側に毛皮がついていました。凍てつくような冬の季節になると、主婦たちが競って買い求めたのです。まさに「飛ぶように売れた」と言ってもいいでしょう。

ルイは盲学校に入学して五年目にスリッパ製作工房の班長、つまり責任者に選ばれることになります。班長になったルイは、ここでも知恵をしぼりました。

スリッパの中に手を入れて毛皮を取りつけるのは想像以上に手間がかかります。そこでルイはスリッパを裏返してから毛皮を取りつけることにしました。こんなちょっとしたアイデアで作業時間がとても早くなったのです。

また盲学校では、卒業後にすぐに仕事ができるようにするため、生徒が生まれ育った環境と関係した作業も教えていました。たとえば、生徒の親が漁師の場合、漁網のつくり方を教えたりもしていたのです。

しかし、そんな実習が行われていたにもかかわらず、卒業生たちの多くは就職するのに苦労していました。ルイが盲学校に教師として勤めていた1830年代、アメリカ・マサチューセッツ州のパーキンス盲学校のサミュエル・ハウ校長が視察に訪れています。

そして、卒業生の「二十人に一人も仕事に就けない」という事実を知り、彼は帰国後、雑誌『北米評論』にこう報告しました。

「パリ盲学校では、職業にはつながりそうもないさまざまな訓練を受けさせているが、それは大きな間ちがいである。その訓練による技を見せて人々を驚かせはするが、就職のためにはなんの役にも立たない」

悲しいことですが、当時のフランスには、視覚障害者に対する世間の偏見（偏った見方）が根強く残っていました。

もともと翻訳家で、十か国語をあやつる通訳としても活躍していたヴァランタン・アユイが盲人教育に一生をささげる決意をしたのも、視覚障害者への世間の偏見を目の当たりにしたからです。

アユイは1771年、サントヴィッドの祭りで不愉快な光景を目にしました。

街角で演奏している九人編成の楽団を市民たちが取りかこみ、大笑いしているではありませんか。演奏していたのは、コメディアンのような真っ赤なガウン姿の視覚障害者でした。とんがり帽子をかぶり、顔には黒いメガネ、足元を見るとぶかっこうな木靴を履いています。彼らの指揮者もロバの耳がついた帽子をかぶっていました。これだけでも笑われたことでしょう。

それだけではありません。目が見えないため、楽器の持ち方もぎこちなかったことと、指揮者と演奏がかみ合わず、音がバラバラになってしまうこともありました。まさに視覚障害者は見世物でしかなかったのです。しかし、この見世物に観客は大喜びでした。

（かわいそうに。目が見えないというだけで、笑いものの見世物になってしまっている。もし、彼らがまともな教育を受けていれば、こんなことはないだろう。誰もやらないのなら、私がやるしかない！）

アユイ、二十六歳のときでした。

このときの体験をきっかけに、アユイは盲人教育を生涯のテーマに決めます。そして十三年後の1784年にパリに盲学校を設立したのです。もしアユイが盲学校をつくっていなかったら、ルイが教育を受け、点字を発明することもなかったにちがいありません。

## 不自由すぎる生活

家族と別れて盲学校の寄宿舎生活をはじめたルイがホームシックになったのは、ほんの数日だけでした。

ガブリエルという親友ができたことが、一番の理由でしょう。それに学校の授業は楽しいし、さまざまな職業訓練もほどよい気分転換になりました。しかし、ルイはすべてに満足していたわけではありません。何より不満に思っていたのは、自由に行動できなかったことです。

盲学校の生徒たちは教師のきびしい監視下に置かれていました。生徒が校内を勝手に行き来することはできなかったのです。生徒たちの首には、番号が記されたメダルがぶら下がっていました。その番号を職員に見せないかぎり、どこにも行けなかったのです。

ただ、いつも生徒が学ぶ教室なら、行き来するのは自由でした。教室には、数学を教える教室、歴史と国語を教える校長用教室、古典と地理を教える第二教師用教室の他、ピアノ教室が二か所とオルガン教室もありました。

しかし、浮き出し文字による本がある図書室は教師の許可なしには入室できなかったのです。浮き出し文字とは、アルファベットの形を浮き出させた線文字のことです。

ルイは好奇心が旺盛でした。イタズラ心も人一倍ありました。

（そうだ、今夜はあの図書室に行って本を読もう。授業では目の見えない人用の本を何冊か読まされているけど、宗教の本ばかりでつまらない。他にもっと面白い本がたくさん置いてあるはずだ。

いったいどんな本が置いてあるのか楽しみだな）

その夜、ルイは誰にも気づかれないように寄宿舎を抜け出しました。

音を立てないように、抜き足、差し足、忍び足でなんとか図書室にたどり着きました。どうやらカギはかかっていないようです。ルイはゆっくりとドアを開け、図書室に忍び込むことに成功しました。もちろん、すぐさまドアを静かに閉めることも忘れません。

図書室には大きな机がありました。ルイが机の上を手でなぞってみると、かなり大きな四角い物体にふれました。いつも授業でさわっている浮き出し文字の本だということがすぐにわかりました。ルイはいったいどんな内容の本なのか、アルファベットを指でなぞろうとしました。ちょうどそのときです。ガチャッという音がして、図書室のドアが開きました。

「おい、そこにいるのは誰だ！」

男性が叫びました。ロウソクを手にした職員が男性のすぐ横に立っています。

「あっ、デュフォー先生」

「ルイ、おまえか！」

デュフォー副校長は声を荒らげました。

「ごめんなさい」

「勝手に、しかも夜中に図書室に入るとはとんでもない！」

翌朝、ルイには罰が待っていました。

盲学校では規則を破ると、乾パンと水だけの食事しか与えられません。他の生徒に暴力をはたらいたり、学校のものを壊したり、何度も規則違反をする生徒には、監禁やムチ打ちなどの体罰が与えられることもあります。新入生のルイも、体罰から逃れることはできません。お尻をムチで打たれて、悲鳴を上げました。

「あー、ガブリエル、僕、まだお尻が痛いよ〜」

顔をしかめてベッドに横になるルイを、親友のイポリットが笑ってからかいました。

「オレなんか何度もたたかれたよ。やっとキミもこの学校の生徒になれたね」

「もう二度とたたかれたくないよ。でも、図書室の本をゆっくり読みたかったなあ。小説とか探検記とか、いろんな本があるんだろうね」

「えっ、ルイ、知らなかったの？」

ガブリエルがちょっとびっくりしたような口調で言います。

「何が？」

「あ、あの図書室の本も、いつも読まされている本と同じさ。退屈な宗教の本と文法の本しか置いてないよ」

ガブリエルは優越感にひたるかのように、ルイの肩に手をやりました。ギリエ校長は図書室に浮き出し文字の本を何冊か置いていましたが、ガブリエルが言ったように、かた苦しい聖書の名言集と文法書だけだったのです。

## 文字の壁

生徒たちがいつも読んでいる浮き出し文字を開発したのは、盲学校を創立したヴァランタン・アユイです。アユイは、目の見えない生徒たちに字を読ませようと、文章をさわって読ませる方法を考え出します。翻訳や通訳の仕事をしていたアユイですが、暗号の解読も行っていました。

それがヒントになったのでしょう。

印刷も工夫しました。厚めの大きな鉛の型に紙を押しつけ、文字が紙の表面に盛り上がるようにしたのです。生徒がそれを指でさわると、アルファベットがわかるという仕組みです。

しかし、盲学校でも浮き出し文字をスムーズに読める生徒はかぎられていました。アルファベットの特定に集中しすぎるので、単語や文章の流れを自然に追うことができません。つまり、文章をすらすら読むことができなくなるのです。

だから、盲学校の生徒全員が読みこなすことができたわけではありませんでした。

ルイは盲学校に入学したばかりのころ、父親のことを思い出したものです。

（この浮き出し文字をさわっていると、父さんのことを思い出すなぁ。父さんも釘を板に打ちつけて、アルファベットをつくってくれたっけ）

生徒の多くが浮き出し文字を読むことに気乗り

しなかったのに、ルイだけは黙々と読みつづけました。

しかし、そんなルイでも、やがて浮き出し文字の欠点に気づきはじめます。

第一に本が重すぎました。なにしろ本一冊が四、五キロの重さなのです。十キロ近い本もありました。しかも、まるで小型のスーツケースのような大きさなので、生徒たちが気軽に手に取って読むことはできません。そういう意味では、まったく実用的ではなかったのです。

それに印刷するにも大変な手間がかかりました。まず鉛の活字を一つひとつ並べ、そこに水で濡らした紙を押しつけます。そして、二枚のページを背中合わせに貼りつけなければなりません。もちろん、字が盛り上がったほうが表です。

このようにとても面倒な工程だったので、たった一ページをプレス印刷するのに、何日もかかりました。一冊の本をつくるのに数年、簡単なパンフレットでさえ一年はかかったというから、気の遠くなる話です。

フランスだけではなく、海外でも浮き出し文字を改良しようとする試みはありましたが、うまくいった例はほとんどありませんでした。

（もっと目の見えない人が読みやすくて、印刷も簡単な文字をつくれないものだろうか）

ルイも頭を悩ませていました。

それに浮き出し文字を目の見えない人がつくる

のは難しいという問題もありました。

盲学校では、生徒たちが書き方も学んでいます。金属板に刻んだアルファベットや符号を片方の指先でさわってその形を記憶し、もう片方の手に持った鉄筆（先端を丸くした金属のペンで、インクは用いません）を使い、別の紙にその形を再現するという方法でした。

目の見えない人が実際に手紙を書くときに心配なのは、行をかえたつもりでも、書いた文字が前の行や前後の文字と重なってしまうことです。それをふせぐために、針金か羊の腸からつくった糸を横に張った木が使われました。それでも、集中力がないと、失敗してしまうことがしばしばでした。

生徒のほとんどは、練習をしないと、ミミズのはったような文字を書くのが普通です。そんな中で、ルイは最初から文字を間ちがうことなく、そして文字が重なることなく、きれいに書けていました。

「キミは本当にきれいな字を書くね」

いつもは滅多に人を褒めないデュフォー副校長でさえ、ルイの字には感心していました。

視覚障害者が書く方法には、もう一つありました。

クロスワード・パズルのように、アルファベットの書かれた駒を並べて単語をつづる方法です。

木の板の溝に浮き出し文字のブロックをはめ込む

のです。手でさわってもアルファベットが判読できるので、目の見える人にも見えない人にも読ませることができました。

　ギリエ校長は、いかに盲学校の生徒たちが優秀であるかを実際に示したかったようです。よく講堂に関係者を大勢集めて、生徒たちによるデモンストレーションとしてこの駒並べを公開していました。

　しかし、いずれの方法も視覚障害者には使いにくいものでした。

（もっと読みやすくて、書きやすく、そして印刷も簡単でなるべく道具を使わないような文字をつくれないものだろうか）

ルイは真剣に考えはじめます。

## 突然の別れ

授業や実習でずばぬけた才能を発揮するルイ

には、また別の才能がありました。それは音楽です。

音楽を盲人教育に積極的に取り入れたのは、ギリエ校長でした。ギリエ校長自身も音楽に親しんでいたので、浮き出しにした楽譜をつくるよりも、生徒には実際に音楽を聴かせ、楽器を演奏させるほうが効果的だと確信していました。

盲学校の校長に就任したとき、ギリエはバイオリンをはじめ、チェロ、コントラバス、クラリネット、オーボエ、フルート、ギター、そして練習用のオルガンも購入しました。

「あの子たちがこの盲学校を卒業し、自分の生まれ育った町や村に帰ったとき、教会のオルガン奏者として生活できればよいが……」

ギリエ校長は無料奉仕で生徒たちにオルガンを教えていたミュージシャンに、こう語っていたようです。それだけではありません。ギリエ校長は自分のポケットマネーでピアノを三台も学校に寄付しているのです。

盲学校には、音楽教師のカルデヤックがいます。しかし、彼女とは別に、パリの音楽学校からも先生が派遣され、ピアノ、フルートなどを教えていました。またパリ在住の有名なミュージシャンたちも、無料奉仕活動として、たびたび盲学校にやってきました。

イタリアのバイオリン奏者で作曲家でもあるニコロ・パガニーニは、盲学校を訪れて生徒たちの演奏を聴いています。そして、そのハーモニーの素晴らしさに感動したという記録も残っています。

この事実をみても、ギリエ校長は心の底から音楽を愛し、盲学校の音楽教育に全力をそそいだことがわかるでしょう。

クーヴレ村では楽器をさわったことがなかったルイにとって、音楽は未知の領域でした。なかでもルイがもっとも興味をひかれたのはオルガンです。音楽学校から来た先生に、ルイはオルガンの基本から丁寧に教えられました。自分の指で鍵盤をたたくと、なんとも心地よい音が出ました。ルイはすぐさまその魅力の虜になったのです。

「オルガンっていいな。僕、オルガンをひいていると、自由な気持ちになれるんだ」

ルイは、オルガンがいかに素晴らしい楽器か、ガブリエルにその魅力を語りました。

「うん、楽器はいいよな」

適当に相づちを打つガブリエルでしたが、ルイはなおも夢見るようにたたみかけました。

「なんていうか、まるで鳥になって空を飛んでいるような。もうオルガンって、最高！」

「よかったな。勉強やスリッパづくり以外にも好きなことが見つかって」

熱くなりすぎた親友に皮肉たっぷりな言葉を返すガブリエルです。ルイはますます熱くなりました。そして、将来の自分の姿をガブリエルに教えたくなりました。

「ガブリエル、僕、音楽家に向いているのかも。ねっ、キミもそう思うだろ?」

「ああ、オレもそう思うよ」

とガブリエルは答えました。ところが、面白いことに、音楽家として大成したのは、ルイの夢を聞かされていたガブリエル・ゴーティエのほうでした。演奏家として、そして作曲家として、その才能を花開かせたガブリエルは、のちに盲学校のオーケストラの指揮者にもなっています。

さて、充実した学校生活を送るルイでしたが、盲学校二年目に大きな変化がありました。ギリエ校長が急に学校を去ったのです。その理由は誰にも知らされませんでした。が、なんらかの問題を起こして解雇されたことだけは確かです。

「わーい、あのギリエ校長がいなくなったぞ。よかった！」

「これで学校も自由になるさ」

「なんで辞めさせられたのか知らないけど、あのきびしい校長がいなくなってスッキリしたよ」

生徒たちからは喜びの声こそ聞こえてきましたが、別れを惜しむ声は、ほとんどありませんでした。

ギリエ校長は学校の運営には全力をそそぎました。その功績はけっして小さくありません。しかし、なんでも規則ずくめで生徒をがんじがらめにしてしまったので、生徒からの評判はあまり良くなかったようです。頑固な性格でもあったので、周囲のアドバイスも聞かず、教師や職員にも嫌われていたのでしょう。

ところが、ルイはちがいました。

「さみしいなぁ。みんなギリエ校長のことを悪く言うけど、僕、嫌いじゃなかったよ。あの人のおかげで僕たちは楽器を演奏できるようになったのだから」

「そうだよ」

ガブリエルもルイと同じ気持ちでした。

ルイとガブリエルにとって、音楽の素晴らしさを教えてくれたギリエ校長は、良き教育者であり、恩人だったのかもしれません。しかし、ギリエ校長以上にルイの人生に大きな影響を与える二人の人物が登場します。

## 新しい光

1821年2月20日、アレクサンドル・フランソワ＝ルネ・ピニエが新しい校長として盲学校にやってきました。熱心なカトリック教徒であるピニエ新校長は、どちらかというと真面目すぎる人物です。最初の印象では冗談もあまり通じない感じがしました。

（またコチコチのうるさい人が来たのか）

誰もがそう思ったことでしょう。

しかし、じつは彼は大変穏やかな性格で、心やさしく、理想家肌の教育者だということが、すぐにわかりました。ギリエ前校長と同じように、ピニエ校長も医師でもあります。そのため、医師としての直感で、盲学校の環境がいかに良くないかということにすぐに気づきました。実際、顔色が悪く、やせ衰えた生徒が多く、絶えず咳をしている生徒も少なくありません。

「建物がいやに湿っぽいですな。空気も良くない。

どうなってるんですか？」

新校長のピニエが、副校長のデュフォーに問いただしました。

「建物が古いので仕方がないですな」

「それにガスのようなニオイがしますが……」

「あ、そうですか」

デュフォー副校長はうんざりした表情で首

をすくめました。

「なにしろ風通しの悪い低地に建てられたものですから、仕方がないですね」

「うーむ、改善の余地がありますな。ところで、少し寒い気がしますが、暖房はどうしていますか」

「薪ストーブです。薪を十五か所の窯で燃やして建物全体を暖めているのですが、ピニエ校長は寒く感じますか」

校舎の大きさからすれば、ストーブの数が少なすぎます。これでは十分な暖かさを保てないことは明らかでした。

「で、生徒たちの入浴は週に何回ですか」

ピニエ校長が念のために聞くと、

「ご冗談でしょ。風呂に入るのは月に一度だけですよ」

デュフォー副校長の話を聞いて、ピニエ校長は絶望的な気持ちになるのを必死でこらえます。驚くことに、盲学校では料理や洗濯のために使う水は、近くを流れるセーヌ川からくんできたものでした。不潔としか言いようがありません。その量もかぎられており、毎日大きな樽で二杯だけです。千リットルほどと思ってください。

（これでは生徒たちが病気にならないほうがおかしい）

ピニエ校長は着任早々、二人の医師に生徒の健康チェックをお願いします。その結果、明らかに結核の症状を示す生徒やリンパ腺が腫れている生徒がかなりの数いることがわかりました。残念なことに、ルイもその一人でした。

とくに女子生徒に多かったのが、若者には珍しい消化不良です。そして、なによりも栄養不良が育ち盛りの生徒たちの健康を悪化させていることも明らかになりました。

こうした症状を起こす原因は、いったいなんだったのでしょうか。

「原因は、換気の悪い盲学校の建物と寄宿舎の住環境、貧弱な給食にあるのではないか」

二人の医師はピニエ校長にこう報告しました。

この報告を聞いたピニエ校長は、さっそくフランス政府に盲学校の環境を改善するよう手紙で訴えました。しかし、その訴えは政府に無視されます。

（仕方がない。こうなったら、自分たちで改善するしかない）

ピニエ校長が最初に取りかかったのは、盲学校の食事を変えることでした。しかし、運営資金がかぎられているので、いくらやりくりしても、すぐに食事内容を変えることはできません。そこで、ピニエ校長はてっとり早い手段を思いつきます。それは生徒を屋外で活動させることでした。

## ピニエ校長の改革

「さあ、みんな、今度は植物園に行こう！」

ピニエ校長は生徒たちに思いっきり新鮮な空気を吸わせようと、近くの植物園に行くことを提案しました。

「え、植物園？」

「植物園で何をするんだろう？」

これまで植物園には行ったことがなかったので、生徒たちは喜ぶどころか、戸惑うばかりです。

それから数日後のことでした。若い職員が持つロープにつかまって、生徒たちが路地を歩いています。しばらくして植物園に着きました。

「木はどっちだったかな？」

「あっちだよ。右、右」

「バカだな。木なんて右にも左にもあるよ」

そんな声があちらこちらから聞こえてきます。

みんなロープから手を離して広い植物園を思い思いに移動しはじめました。ゆっくりと歩く生徒もいるし、かけっこをする生徒もいます。全員がイキイキとしていました。

「おい、転ぶなよ！」

「大丈夫。あっ」

短い悲鳴が聞こえたと思ったら、ドタッと芝生に倒れる生徒も……。

「うわー、転んだ。アハハ」

そんな生徒たちの楽しそうなやりとりを目の当たりにして、

（いつも換気が悪く、不潔な校舎で生活していては、生徒の健康状態がますます悪くなる。やはり外で遊ぶことが大切なんだ。不健康だった生徒たちだが、これからは元気になってくれるだろう）と目を細めるピニエ校長でした。

また、ピニエ校長は生徒たちに建設作業も体験させました。その目的を生徒の父兄たちにピニエ校長はこう語っています。

「目の見えない人でも社会活動ができるということを世間に知らせたいのですよ。それに生徒たちに労働の大切さを教えることもできる。もっとも、一番の目的は生徒たちの健康ですよ。外で汗を流すことで、健康維持になりますからね」

さらに、ピニエ校長は、子どもたちにもっと本を読ませることも必要だと感じていました。ところが、副校長のデュフォーはそうではありません。

「ピニエ校長、視覚障害者用の本を印刷するのはとても面倒です。文字は通常の本よりもかなり大きくしなければならない。たとえば、ピエール・

ボーマルシェの『フィガロの結婚』です。あの本が視覚障害者用だと、普通の本の五倍、六倍もの大きさになってしまう。それも第一巻だけですよ。全巻だと二十冊にもなるので、保管するのも大変ですぞ」

デュフォー副校長が指摘するように、視覚障害者用の本を印刷するのには多くの時間と複雑な手間がかかりました。たとえ印刷し終わったとしても、生徒がその本を読むのも一仕事です。とにかく大きいし、重さに至っては一冊で五キロ前後もありました。

生徒たちの野外活動をより積極的にし、もっと本を読ませたいとするピニエ校長の教育方針をデュフォー副校長はいつも冷ややかに見つめていました。この二人の意見のちがいが、それからもずっとつづくことになります。

ピニエ校長が盲学校にやってきて半年後の8月21日のことです。盲学校の食堂や講堂、そして各教室が華やかに飾られていました。この日、盲学校で盛大なコンサートが開催されるからです。生徒たちは朝からみんなウキウキしていました。

「僕、早くあの人に会いたいなあ」

ルイも興奮してガブリエルに伝えました。チェロを演奏することになっていたルイは、あの人と話ができることを楽しみにしていたからです。コンサートは、その人物の歓迎会も兼ねていました。盲学校の創設者、ヴァランタン・アユイです。アユイがいなければ、ルイが盲学校に入学することもなかったでしょう。そして、点字が発明されることもなかったにちがいありません。

1802年2月に政府に反抗したことから盲学校を退職させられたヴァランタン・アユイは、ロシア皇帝アレクサンドル一世の招きで、サンクトペテルブルクに向かいます。ロシアにも盲学校を設立するためでした。

ところが、この盲学校設立計画はあまりうまくいかなかったようです。アユイは外国のロシアで健康も害し、失意のままフランスに戻りました。帰国後のアユイは金銭的にも余裕がなかったようです。そのため、神父をしている兄のもとに身を寄せることにしました。

なんと兄の住まいは、自分が設立した盲学校のすぐ近くです。いつでも盲学校を訪ねることができる距離でしたが、アユイは盲学校の門をくぐろうとしませんでした。ギリエ前校長がアユイを嫌っていたからです。

しかし、そのギリエも盲学校を去りました。

（盲学校の功労者であるアユイさんを公式に招いて歓迎会をもよおそう）

こうして、ピニエ新校長が歓迎会を思いついたというわけです。

すでに七十歳を超えたアユイが盲学校に足を踏み入れるのは、じつに二十年ぶりのことでした。生徒たちは拍手で盲学校創立者を迎えます。コンサート会場では、合唱隊の生徒たちがアユイにささげるため、カンタータを歌いはじめました。

「ああ、なんて懐かしい。マリア様、ありがとうございます。このカンタータを聴いたのは、もう三十年も前のことだ」

アユイは独り言のようにつぶやきました。

この歌はバレンタイン・デーを祝うために盲学校の生徒たちがつくったものです。1788年の2月に盲学校の合唱隊によって初めて歌われました。

隣に座ったピニエ校長は、アユイの目にうっすらと涙がにじんでいることに気づきました。生徒たちの合唱やその他の演奏に耳を傾けたアユイ。自分がはじめた盲人教育の成果をしみじみとかみしめたことでしょう。

コンサートが終わってから、アユイはカゴやスリッパなどが展示されている教室を見てまわりました。生徒たちとも食事をともにし、数人の生徒たちとは会話もしています。

さすがのルイも尊敬する人物の前では緊張して、ほんの少ししかアユイと言葉を交わすことができませんでした。しかし、握手だけはしっかりとしました。

アユイはみんなの前で感謝のあいさつをしようとしたのですが、感動のあまりなかなか言葉にならなかったようです。それでも、自分の功績を自画自賛することなく、

「すべては聖母マリア様のなさったことなのです」

と声をふりしぼりました。その目に涙があふれているのを生徒たちは見ることができません。この歓迎会から一年後、ヴァランタン・アユイはこの世を去ることになります。

## 画期的な文字

盲学校が夏休みに入る前、一人の人物がピニエ校長を訪ねました。

ルイ十六世時代にフランス陸軍の砲兵隊長だったシャルル・バルビエ大尉です。バルビエ大尉は1820年にも盲学校を訪れ、当時の校長だったギリエに自分が考えた視覚障害者用の文字を採用するよう提案しましたが、考え方が保守的で頑固なギリエ校長にあっさりと断られていました。しかし、校長が代わったことを知って、再び盲学校を訪れたのです。

「いいですか、ピニエ校長、これから私が話す内容はきわめて重要です。視覚障害者たちに画期的な恩恵を与えるでしょう」

バルビエ大尉がピニエ校長の目を見つめました。

「そうですか」

ピニエ校長が気のない相づちを打ちます。バルビエ大尉だけでなく、盲学校には視覚障害者用の文字を発明したという自称「発明家」たちが何人もピニエ校長に売りこみにきています。

が、いずれもアルファベットを土台にしたものでした。しかも、どれもこれも役に立たないものばかりだったからです。

「それで」

ピニエ校長が話をうながすと、バルビエ大尉は真っ暗な夜に敵と戦闘状態になったときの体験から話しはじめました。

「なにしろ夜だから、あたりは真っ暗です。せっかく私が指令を紙に書いて、伝令に渡しても、もらった部下は松明がなければ、指令なんか読めない。しかし松明なんかかざしたら、敵にすぐバレてしまうではないですか。まさにドンパチやっているときに、『前進』させるのか、それとも『退却』させるのか。それを敵に知らせることなく、部下に伝えるにはどうすればよいのか。そう考えている私に突然、素晴らしい考えが思い浮かんだ。で、さっそく実行に移したというわけです」

「ほう。いったいどんな考えですか？」

「あるサインをつくったのですよ。紙に浮き上がった点と線を指でさわると、部下は私の指令をすぐに理解できた。私はそれを『夜間文字』と呼びました」

「えっ、点と線だけですか？」

「そうです、校長。だが、そのときの私は、この点と線だけのサインが視覚障害者のために役立つなんてことは、少しも、いや、まったく考えなかった。しかしある日、私が産業製品博覧会に出展したときのことです。ゴホンッ……」

「大尉、大丈夫ですか？」

「あ、失礼。校長、水を一杯いただけますか？」

「あっ、これは失礼」

校長が目の前に置かれている水差しを持ち上げ、バルビエ大尉の空っぽになったグラスに水をつぎ足しました。バルビエ大尉は一気に水を飲み干し、ハンカチで額の汗をぬぐいます。

「ほんと、暑いですな。で、どこまでしゃべりましたかな？」

「産業製品博覧会に出展されたということでしたが」

「あ、そうだ。その産業製品博覧会で私は見たんです。目の見えない子どもたちが、異常に大きな本を開いて、指でさわっているじゃないですか。なんだろうと思っていたのですが、しばらくしてから私は、子どもたちが視覚障害者用の浮き出た文字をさわっていることに気づいたんです」

大尉はもったいぶって咳払いしました。

「ほう」

ピニエ校長はいらだちを隠すかのように相づちを打ちました。

「そのとき私は、『これは視覚障害者にも使えるぞ』と思った。なんというか、直感ですな。そこで軍隊時代につくった『夜間文字』を改良して、

浮き出た点と線で視覚障害者用の文字をつくったというわけです

「その文字を見せていただけますか」

ピニエ校長が興味を示しました。

「もちろんですとも」

バルビエ大尉は自信たっぷりに胸をはり、持ってきた自分の革のカバンから数枚の紙を取り出しました。そして、それをピニエ校長の机に置きました。

「これが『ソノグラフィー』の見本です。視覚障害者たちが首をながくして待ち望んでいた文字ですぞ」

ピニエ校長が身を乗り出しました。

（これまでの視覚障害者用文字とは明らかにちがう）

ピニエ校長にはソノグラフィーが新鮮なものに思えました。

「バルビエ大尉、これはじつに画期的な方法ですね」

「ギリエ前校長にも私の方法を説明したけど、ダメでしたよ。なにしろ彼は頭がかたすぎる。しかし、ピニエ校長、あなたはちがう。理解力があるお方とお見受けしました。もちろん、私のソノグラフィーをこの盲学校でも教科書に採用してく

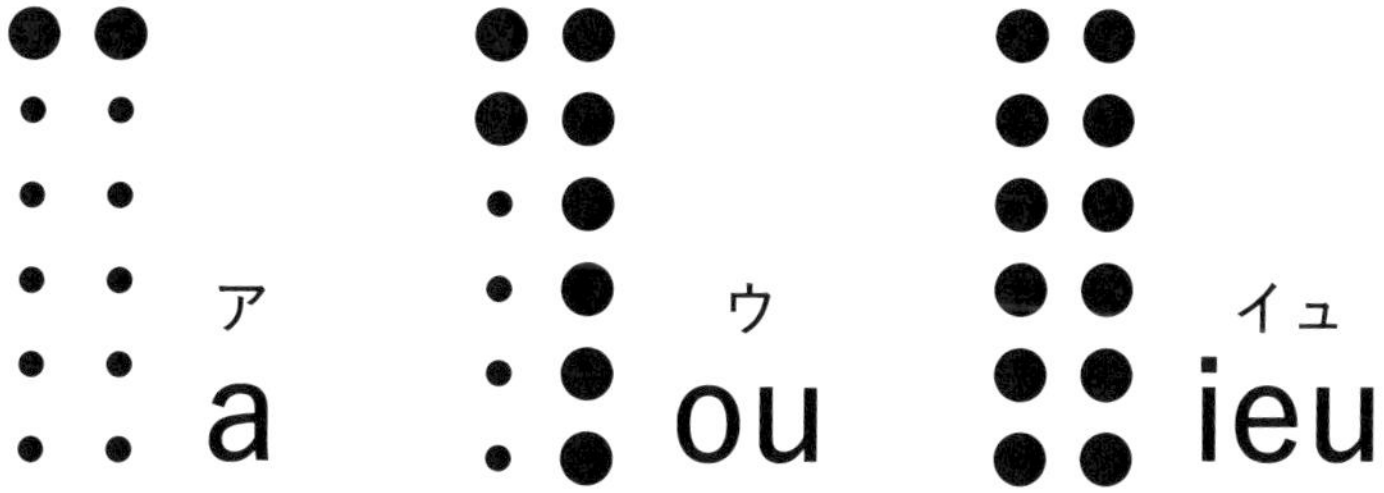

a（ア）　ou（ウ）　ieu（イュ）

〈バルビエのソノグラフィー〉

ださるでしょうね」

「はい、私もそのつもりですが、他の先生とも相談しなければなりませんので。それに生徒たちにも試してみたいのです」

ピニエ校長が即断しなかったことで、バルビエ大尉は少し気分を悪くしたようです。

「なんてのん気なことを言っているのですか、校長。早くこのソノグラフィーを採用しないと、生徒たちの教育がますます遅れますぞ！」

「まあまあ、そんなに興奮しないでください」

ピニエ校長はバルビエ大尉をなだめにかかりました。

「失礼な。誰が興奮しているのかね」

「いずれにしても、生徒たちにも試させますので、近いうちにもう一度来てください」

下につづく

## 松浦麻衣

●職業アニメーター。

●代表作はアニメ『プリティーリズム・レインポーライブ』キャラクターデザイン、映画『KING OF PRISM by PrettyRhythm』キャラクター原案、作画監督等。

●私自身、お話を頂くまで存じ上げなかったのですが、点字を開発した方の生い立ちや点字の成り立ちを知ることができて良い経験になりました。多くの方にこのルイ・ブライユの本を読んで頂けたら幸いです…！

## 著者紹介

### 山本徳造

●大阪府生まれ。雑誌編集者を経てフリーライターに。料理から医学、軍事、外交まで幅広いテーマをこなす。著書に『陽はアジアに昇る』(講談社)、『そこが知りたい米大学日本校』(びいぷる社)、共著に『現代戦争―悪の黙示録』(廣済堂)、『ガイジンの逆襲』(講談社)などがある。

## 広瀬浩二郎

●1967年、東京都生まれ。13歳の時に失明。点字受験で京都大学に進学。同大学院にて文学博士号取得。専門は日本宗教史、触文化論。2001年より国立民族学博物館に勤務。現在は同館教授。“点字力”をテーマとする各種イベントを全国で企画・実施している。主な著書に『さわる文化への招待』『身体でみる異文化』などがある。

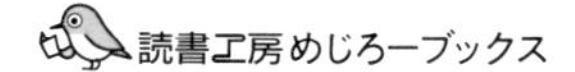


大きな文字の小学館ジュニア文庫

**ルイ・ブライユ 上**

**暗闇に光を灯した十五歳の点字発明者**

山本徳造／著

松浦麻衣／イラスト

広瀬浩二郎／監修

2024年4月23日初版発行

［発行所］

有限会社 読書工房

〒171-0031

東京都豊島区目白2-18-15

目白コンコルド115

電話：03-6914-0960

ファックス：03-6914-0961

Eメール：info@d-kobo.jp

https://www.d-kobo.jp/

［印刷・製本］

セルン株式会社



ISBN978-4-902666-74-8　N.D.C. 913　216p　21cm